Download Your Fr

Download your bonus free MP3 audiobook read in Engl
by the author at:

badgerlearning.co.uk/free-audio-downloads

Password: **ADAaudio**

Each book includes a school site license for the related download. This means you can share the files with your colleagues & students within your school only. **Please do not share elsewhere.** You are permitted to share these files with students who are home learning, however the files must not be hosted on a publicly accessible site. Unfortunately we are unable to assist with compatibility queries, please check that your intended devices and/or systems can open MP3s before downloading.

Badger Publishing Limited
Oldmedow Road,
Hardwick Industrial Estate,
King's Lynn PE30 4JJ
Telephone: 01553 816 083
www.badgerlearning.co.uk

2 4 6 8 10 9 7 5 3 1

Looking After Wolmump ISBN 978-1-78837-806-2

Editor: Claire Morgan
Translation: Yana Surkova
Design: Adam Wilmott
Illustration: Anthony Williams
Cover design: Adam Wilmott

Looking After Wolmump

Догляд за Волмампом

Contents

Зміст

Vocabulary and useful phrases

Earth-mail = intergalactic video-call

celebs = celebrities

love at first sight = falling in love when first meeting someone

stick that on your poop deck = Jack is taunting the pirates because he is faster than they are

don't let them drag you down = a phrase that usually means 'don't let something stop you' but here Jack is laughing that the magnets have dragged the pirate ship away.

doggone = an expression of surprise/upset

nook and cranny = every part of something

don't be so wet = don't be so weak-minded

supermarket sweep = the name of a gameshow set in a supermarket

oh crumbs = a phrase that shows surprise

it's ele-mentary, my dear Wanda = a phrase used by fictional character, Sherlock Holmes, to say that something is easy to understand — Jack is also highlighting the links to the word 'elephant'

no match for = doesn't compare to

Лексика та корисні фрази

Earth-mail = міжгалактичний відеодзвінок

celebs = знаменитості

love at first sight = закохатися в когось під час першої зустрічі

stick that on your poop deck = Джек глузує над піратами, бо він швидший за них

don't let them drag you down = фраза, яка зазвичай означає "не дозволяй чомусь тебе зупинити", але у данному випадку Джек сміється з того, що магніти потягли піратський корабель.

doggone = вираз здивування/засмучення

nook and cranny = кожна частина чогось

don't be so wet = не будь таким слабкодухим

supermarket sweep = назва ігрового шоу в супермаркеті

oh crumbs = фраза, що виражає здивування

it's ele-mentary, my dear Wanda = фраза, яку використовує вигаданий персонаж Шерлок Холмс, щоб сказати, що щось легко зрозуміти - Джек також застосовує його зі словом "слон"

no match for = не йде ні в яке порівняння

Book introduction

Jack is an actor who plays an alien detective on a TV show called Sci-Fi Spy Guy.

Wanda is the Galactic Union's Alien Welfare Officer for Earth (an ACTUAL alien detective).

Together, Jack and Wanda are a team called the **Alien Detective Agency**.

STEALTH is the name of Jack's time travelling starship, which stand for **S**pace **T**ripping **E**xtra **A**tomic **L**aser **T**ime **H**opper. It can think and talk for itself, but only Jack and Wanda know this.

In this adventure, Jack and Wanda have to look after an alien animal called a **Wolmump**.

Вступ до книги

Джек - актор, який грає інопланетного детектива в телевізійному шоу під назвою “Науково-фантастичний шпигун”.

Ванда - офіцер Галактичного союзу з питань добробуту інопланетян на Землі (СПРАВЖНІЙ інопланетний детектив).

Разом Джек і Ванда - це команда під назвою «**Інопланетне детективне агентство**».

СТЕЛС - це назва мандрівного в часі космічного корабля Джека, що означає «Космічний мегаатомний лазерний стрибун у часі». Він може думати і говорити, але про це знають тільки Джек і Ванда.

У цій пригоді Джек і Ванда повинні доглядати за інопланетною твариною на ім’я Волмамп.

Chapter 1
A new job

Wanda contacted Jack on the Earth-mail.

"Guess what?" she said. "We've been offered a job!"

"I've got a job," said Jack, "acting in 'Sci-Fi Spy Guy'."

Wanda sighed. "No, I mean our Alien Detective Agency."

"Wow!" said Jack. "That's great! What's the job?"

"We have to guard a baby Wolmump," said Wanda.

"Guard what?"

"A baby Wolmump," said Wanda. "They're really rare and valuable because their fur is great for knitting with. All the top celebs in the galaxy are wearing Wolmump woollies."

"I'm not," said Jack.

Розділ 1
Нова робота

Ванда зв’язалася з Джеком по земній пошті.

“Вгадай що?” - сказала вона. “Нам запропонували роботу!”

“Я маю роботу, - відповів Джек, - знімаюся у шоу “Науково-фантастичний шпигун”.

Ванда зітхнула. “Ні, я маю на увазі наше Інопланетне детективне агентство.”

“Вау!” сказав Джек. “Це чудово! А що за робота?”

“Ми повинні охороняти маленьку Волмамп”, - сказала Ванда.

“Охороняти що?”

“Дитинча Волмампа”, - відповіла Ванда. “Вони дуже рідкісні і цінні, тому що їхнє хутро чудово підходить для в’язання. Всі найвідоміші знаменитості у галактиці носять вовняні вироби з Волмампа”.

“Я ні”, - сказав Джек.

Wanda looked at Jack's tuxedo.

"Hey," said Jack. "I think I'll get my mum to knit me a Wolmump wool tuxedo. That will be cool."

Wanda winced. "There may not be enough fur left for that if we mess up this job," she said.

"Why not?" asked Jack.

"Because someone is trying to steal this Wolmump," replied Wanda. "And we've got to stop them."

"It sounds like a baby-sitting job to me," said Jack. "That will be really boring."

Which just goes to show... Jack could be very, very wrong.

They got into Jack's spaceship, STEALTH, and headed for Cetus, a group of stars at the end of the Milky Way.

"By the way," said Jack, "what's a Wolmump?"

Ванда подивилася на смокінг Джека.

“Гей, - сказав Джек. “Думаю, я попрошу маму зв’язати мені смокінг з вовни Волмампа. Це буде круто”.

Ванда здригнулася. “Якщо ми не впораємося з цією роботою, у нас може не вистачити хутра”, - сказала вона.

“Чому?” - запитав Джек.

“Тому що хтось намагається викрасти Волмампа”, - відповіла Ванда. “І ми повинні його зупинити”.

“Як на мене, це схоже на роботу няньки”, - сказав Джек. “Це буде дуже нудно.”

Що вкотре доводить... що Джек може дуже, дуже помилятися.

Вони сіли в Джеків космічний корабель СТЕЛС і попрямували до Кита, групи зірок у кінці Чумацького Шляху.

“До речі, - запитав Джек, - що таке Волмамп?”

"By the way," said Jack, "what's a Wolmump?"

"You're about to find out," said Wanda, smiling.

She steered STEALTH towards the smallest star. It was blue and sparkled like a jewel. Only a few small islands dotted the surface.

Wanda landed STEALTH on one of the islands. Jack was amazed to see blue palm trees with dark blue fruit. Even the sand was blue.

Suddenly a monster came crashing through the trees. It knocked Jack flying.

The monster opened its mouth and a long, blue tongue licked Jack's face.

"Urgh! Gerroff!" yelled Jack.

"Meet the baby Wolmump," said Wanda.

“Ти ось-ось дізнаєшся”, - посміхнулася Ванда.

Вона направила СТЕЛС до найменшої зірки. Вона була блакитна і виблискувала, як дорогоцінний камінь. Лише декілька маленьких островів усіяли її поверхню.

Ванда посадила СТЕЛС на одному з островів. Джек був вражений, побачивши блакитні пальми з темно-синіми плодами. Навіть пісок був блакитний.

Раптом з дерев вибігло чудовисько. Воно збило з ніг Джека.

Чудовисько відкрило пащу і довгим блакитним язиком лизнуло обличчя Джека.

“Фу! Геть!” - закричав Джек.

“Познайомся з малюком Волмампом”, - сказала Ванда.

Chapter 2
Pirates!

The Wolmump looked like a cross between a camel and a whale and was the size of a baby elephant.

It wagged its curly tail at Jack.

"It likes you," said Wanda. "Love at first sight."

"I get that a lot," said Jack.

Wanda rolled her eyes.

"How long do we have to look after this thing?" said Jack.

The Wolmump didn't like being called a 'thing'. It trod on Jack's foot.

"Ow!" he yelled.

"Her name is Gnt," said Wanda, grinning, "and we only have to look after her for today."

"No problem," said Jack, rubbing his foot.

Wanda took Gnt for a swim in the sea. Jack stood guard, armed with Wanda's laser.

Suddenly a huge shadow turned the sky dark. An ugly black spaceship was hovering over the small island.

Розділ 2

Пірати!

Волмамп була схожа на щось середнє між верблюдом і китом, і була розміром із слоненя.

Вона виляла своїм кучерявим хвостом перед Джеком.

“Ти їй подобаєшся”, - сказала Ванда. “Кохання з першого погляду”.

“Мені це часто говорять”, - відповів Джек.

Ванда закотила очі.

“Як довго нам доведеться доглядати за цим створінням?” - запитав Джек.

Волмампу не подобалося, коли її називали “створінням”. І та наступила Джеку на ногу.

“Ой!” - закричав він.

“Її звуть Дженті, - сказала Ванда, посміхаючись, - і ми маємо доглядати за нею тільки сьогодні”.

“Не проблема”, - сказав Джек, потираючи ногу.

Ванда взяла Дженті поплавати у морі. Джек стояв на варті, озброєний лазером Ванди.

Раптом величезна тінь затьмарила небо. Над маленьким островом ширяв потворний чорний космічний корабель.

"Oh no!" said Jack. "They must be space pirates! And they're after the Wolmump!"

He raced to STEALTH.

"Pirates!" yelled Jack.

STEALTH didn't need telling twice. The laser shields were up and the engine roaring. Jack hoped Wanda and Gnt would be safe in the sea for now. STEALTH soared into the sky.

The pirates followed, but STEALTH was faster.

"Stick that on your poop deck!" yelled Jack.

The pirates chased STEALTH twice around Cetus. They weren't going to give up; so Jack let them have it.

He fired a cloud of tiny magnets.

The magnets stuck themselves to the pirate ship. The magnets stopped the pirates from steering their ship. It went spinning off into space.

"Don't let them drag you down!" laughed Jack.

He flew back to the island to find Wanda and Gnt. But all he could see were Wolmump paw prints.

There was no one there.

“О ні!” - вигукнув Джек. “Це, мабуть, космічні пірати! І вони полюють на Волмампа!”

Він побіг до СТЕЛС.

“Пірати!” - закричав Джек.

СТЕЛС не потрібно було говорити двічі. Лазерні щити були підняті, і двигун заревів. Джек сподівався, що Ванда і Дженті поки що в безпеці в морі. СТЕЛС злетів у небо.

Пірати полетіли слідом, але СТЕЛС виявився швидшим.

“Прикріпи це до своєї корми!” - крикнув Джек.

Пірати намагалися наздогнати СТЕЛС, літаючи за ним навколо Кита. Вони не збиралися здаватися; тож Джек дозволив їм це зробити.

Він випустив хмару крихітних магнітів.

Магніти приклеїлися до піратського корабля. Магніти завадили піратам керувати своїм кораблем. І він полетів у космос.

“Не дозволяйте їм тягнути себе вниз!” - засміявся Джек.

Він полетів назад на острів, щоб знайти Ванду і Дженті. Але все, що він побачив, були відбитки лап Волмампа.

На острові нікого не було.

Chapter 3
Doggone!

Jack was worried. Wanda and the Wolmump were missing.

Suddenly the sea started to bubble and fizz. Jack saw Gnt's long nose — and Wanda riding on the Wolmump's back.

"Good thing I had my inflatable helmet," said Wanda.

Jack laughed and Gnt rolled on her back so Jack could tickle her tummy.

But Wanda looked serious. "It's not safe here. We'll have to find somewhere else to hide her."

"Let's take her back to Earth," said Jack. "We can hide her at my house."

"Are you crazy?" said Wanda.

"We'll just tell everyone she's a rare breed of dog," said Jack.

"It could work," said Wanda, "if we keep Gnt hidden indoors."

Gnt wagged her tail.

They piled into the STEALTH and took off.

Gnt had never been on a spaceship before. She charged around and pushed her nose into every nook and cranny.

Розділ 3
Прокляття!

Джек занепокоївся. Ванда і Волмамп зникли.

Раптом море почало пузиритися і шипіти. Джек побачив довгий ніс Дженті - і Ванду, яка їхала на спині Волмампа.

“Добре, що я вдягла надувний шолом”, - сказала Ванда.

Джек засміявся, і Дженті перекинулася на спину, щоб Джек міг полоскотати її животик.

Але Ванда виглядала серйозно. “Тут небезпечно. Нам доведеться знайти інше місце, щоб сховати її”.

“Давай заберемо її назад на Землю”, - сказав Джек. “Ми можемо сховати її у мене вдома.”

“Ти з глузду з’їхав?” - сказала Ванда.

“Ми просто скажемо всім, що це рідкісна порода собак”, - сказав Джек.

“Це може спрацювати, - сказала Ванда, - якщо ми сховаємо Дженті у приміщенні”.

Дженті замахала хвостом.

Вони сіли на СТЕЛС і полетіли.

Дженті ніколи раніше не літала на космічному кораблі. Вона бігала навколо і пхала свого носа в кожен куток і щілину.

"Make sure she doesn't break anything," said Jack crossly.

"Oops!" said Wanda.

They landed back at the TV studio.

"Stay here," said Wanda. "I'll go to the pet shop and get a collar and lead for Gnt."

In the pet shop Wanda got the biggest collar they had.

"Is it for a Newfoundland?" said the owner.

"Er... something like that," said Wanda. "It's certainly new."

Gnt didn't like being on a lead. She charged down the road, dragging Jack and Wanda behind her.

"I've got a better idea," said Jack. "Rollerblades!"

Soon he was flying down the street and Wanda was running behind.

The Wolmump ran straight to the park and dived into the lake. Jack didn't let go in time.

“Дивись, щоб вона нічого не зламала”, - сердито сказав Джек.

“Ой!” - сказала Ванда.

Вони повернулися на телестудію.

“Залишайся тут”, - сказала Ванда. “Я піду в зоомагазин і куплю нашийник і повідець для Дженті”.

У зоомагазині Ванда купила найбільший нашийник, який тільки там був.

“Це для Ньюфаундленда?” - запитав власник.

“Е-е... щось на зразок того”, - відповіла Ванда. “Вона, безумовно, нью”.

Дженті не любила, коли її водять на повідку. Вона кинулася вниз дорогою, тягнучи за собою Джека і Ванду.

“У мене є краща ідея”, - сказав Джек. “Ролики!”

Незабаром він мчав по вулиці, а Ванда бігла позаду.

Волмамп побігла прямо в парк і пірнула в озеро. Джек не встиг вчасно її відпустити.

“I’ve had enough of this job,” said Jack, sitting up covered in duckweed.

“Heeehehmmm. Don’t be so wet,” said Wanda.

“Your turn to catch the Wolmump,” he said crossly.

“Oh no!” said Wanda.

Gnt had swum to the far side of the lake and had charged off into the distance.

“З мене досить цієї роботи”, - сказав Джек, сідаючи, вкритий ряскою.

“Хі-хі-хі-хі-хі-хі-хі! Не будь таким мокрим”, - сказала Ванда.

“Твоя черга ловити Волмампа”, - сказав він сердито.

“О ні!” - сказала Ванда.

Джентi перепливла до дальнього берега озера і помчала у далечінь.

Chapter 4
Supermarket sweep

The Wolmump was hungry. She sniffed the air and headed to a supermarket.

Frightened customers jumped out of the way as she galloped up and down.

"It's a mad cow!" said one.

"No, it's a mad dog!" said another.

"It's an alien!" said a little boy.

"Don't be silly, Brian," said his Mum. "It's an escaped goat."

The Wolmump stuck her snout in a packet of pepper flavoured crisps.

The pepper made her sneeze. A loud bellowing sound filled the supermarket.

"It's going to attack!" screamed a woman.

"It's going to charge!" yelled a man.

"It's sneezing!" laughed the little boy.

"Don't be silly, Brian," said his Mum. "It's got a sore throat."

Розділ 4
Зачистка супермаркету

Волмамп була голодна. Вона понюхала повітря і попрямувала до супермаркету.

Перелякані покупці відскакували з дороги, поки вона стрибала туди-сюди.

“Це скажена корова!” - сказав один з них.

“Ні, це скажений пес!” - сказав інший.

“Це інопланетянин!” - сказав маленький хлопчик.

“Не будь дурником, Брайане”, - сказала його мама. “Це коза, що втекла”.

Волмамп засунула мордочку в пачку чіпсів зі смаком перцю.

Від перцю вона чхнула. Гучний рев наповнив супермаркет.

“Воно збирається атакувати!” - кричала жінка.

“Воно збирається нападати!” - кричав чоловік.

“Воно чхає!” - засміявся маленький хлопчик.

“Не будь дурником, Брайане”, - сказала його мама. “У нього болить горло”.

After eating seven packets of crisps, two fruit cakes and 23 bars of chocolate, the Wolmump was very thirsty. She sniffed the air and headed to a coffee shop.

"Can I help you?" asked a bored waiter.

"Snwstzq!" said the Wolmump.

"Full-fat or skinny milk?" said the waiter. Then he looked up. "Aaaagh!" he said.

"Tqxwzt!" said the Wolmump.

Then she sank her snout in a jug of milk. The waiter ran away.

Gnt had been playing all morning. She'd hidden from pirates, ridden on a spaceship and swum in the lake with her new friend. Now, she was tired.

She sniffed the air again. There was somewhere that smelled a bit like home. Off she trotted, down the street and round the corner.

З'ївши сім пачок чіпсів, два фруктових тістечка і 23 плитки шоколаду, Волмамп дуже захотіла пити. Вона понюхала повітря і попрямувала до кав'ярні.

“Чим я можу вам допомогти?” - запитав нудьгуючий офіціант.

“Снвстськ!” - відповіла Волмамп.

“Жирне чи знежирене молоко?” - запитав офіціант. Потім він подивився вгору. “Аааа!” - сказав він.

“Тккcвзт!” - сказала Волмамп.

Потім вона занурила свою мордочку в глечик з молоком. Офіціант втік.

Дженті гралася весь ранок. Вона ховалася від піратів, каталася на космічному кораблі та плавала в озері зі своїм новим другом. Зараз вона втомилася.

Вона знову понюхала повітря. Десь тут пахло рідною домівкою. Вона побігла риссю вниз по вулиці і завернула за ріг.

Chapter 5
Zoology

"I think the Wolmump has been here," said Wanda.

The supermarket shelves had been knocked over and there were broken biscuits all over the place.

"Oh crumbs!" said Jack. But there was no baby Wolmump.

They followed the trail of crumbs to a coffee shop. The waiter was still shaking.

"It was a b-b-b-baby elephant!" he stuttered. "It must have escaped from the zoo!"

Wanda looked at Jack. "I think I know where the Wolmump is going."

She got out her alien tracker.

"This way," she said.

On every street there were people who looked surprised, scared, puzzled.

Some people hadn't even noticed a baby Wolmump trotting down the street.

Wanda pointed at a sign: This way to the Zoo.

Розділ 5
Зоологія

“Здається, тут побувала Волмамп”, - сказала Ванда.

Полиці в супермаркеті були перекинуті, і всюди валялося розламане печиво.

“Ох, крихти!” - сказав Джек. Але дитинча Волмампа не було.

Вони пішли по сліду крихт до кав’ярні. Офіціант все ще тремтів.

“Це було с-с-слоненя!” - заїкався він. “Він, мабуть, втік із зоопарку!”

Ванда подивилася на Джека. “Здається, я знаю, куди прямує Волмамп”.

Вона дістала свій інопланетний трекер.

“Сюди”, - сказала вона.

На кожній вулиці зустрічалися здивовані, налякані та спантеличені люди.

Деякі люди навіть не помітили маленьку Волмамп, що бігла по вулиці риссю.

Ванда показала на вказівник: “Сюди до зоопарку”.

"Can we go and see the alien?" said a little boy.

"Don't be silly, Brian," said his Mum. "You know very well that was a rather ugly donkey."

When Jack and Wanda got to the zoo they saw a zookeeper scratching his head.

"What's the matter?" asked Wanda.

"I've never seen an elephant without a trunk before!" said the zookeeper. "Or one that had long, blue fur. I think I'd better go and lie down."

The baby Wolmump was curled up next to a surprised-looking elephant. She was fast asleep.

"Thank goodness she's safe," said Wanda. "But I don't know how we'll get her back to your house."

"It's ele-mentary, my dear Wanda!" grinned Jack.

Jack got a shopping trolley and they wheeled the tired Wolmump back to his house.

A small, angry robot was waiting for them.

"You will return the Wolmump now!" said the robot.

“Можна ми підемо подивитися на прибульця?” - запитав маленький хлопчик.

“Не будь дурником, Брайане”, - сказала його мама. “Ти ж добре знаєш, що це був дуже потворний віслюк”.

Коли Джек і Ванда прийшли в зоопарк, вони побачили доглядача, який чухав свою голову.

“У чому справа?” - запитала Ванда.

“Я ніколи раніше не бачив слона без хобота!” - відповів доглядач зоопарку. “Або такого, що мав би довгу блакитну шерсть. Думаю, мені краще піти прилягти”.

Малятко Волмамп згорнулося калачиком біля здивованого слона. Вона міцно спала.

“Слава богу, вона в безпеці”, - сказала Ванда. “Але я не знаю, як ми повернемо її до тебе додому”.

“Це елементарно, моя люба Вандо!” - посміхнувся Джек.

Джек взяв візок для покупок, і вони відвезли втомлену Волмамп до його будинку.

На них чекав маленький сердитий робот.

“Ти зараз же повернеш Волмампа!” - сказав робот.

“We’re keeping her safe from space pirates,” said Wanda.

“Those weren’t space pirates!” said the robot. “That was her new owner. They were taking her to a space safari park for rare aliens.”

“Uh-oh!” said Jack. Wanda looked at him. “Did you check they were space pirates before you set STEALTH on them?”

Jack looked guilty. “Er, sorry about that. Anyone can make a mistake.”

“Artificial intelligence is no match for natural stupidity,” muttered the robot.

“Ми захищаємо її від космічних піратів”, - сказала Ванда.

“Це були не космічні пірати!” - сказав робот. “Це був її новий власник. Вони везли її до космічного сафарі-парку для рідкісних інопланетян”.

“Ой-ой!” - сказав Джек.

Ванда подивилася на нього. “Ти перевірив, що вони справді космічні пірати, перш ніж нацьковувати на них СТЕЛС?”

Джек виглядав винуватим. “Е-е, вибач за це. Всі помиляються”.

“Штучний інтелект не зрівняється з природною дурістю”, - пробурмотів робот.